A B C D E F G
N O P Q R S (T) U

Meet big **T** and little **t**.

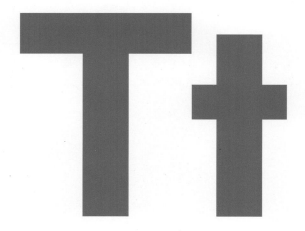

Trace each letter with your finger and say its name.

1

T is for

tiger

T is also for

toad

teddy bear

turkey

turtle

Tt Story

A **t**iger in a **t**ie invited his pals **t**o a **t**ea party!

4

A **t**oad and a **t**eddy bear came.

A **t**urkey and a **t**urtle came, **t**oo.

But where will the **t**iger
put his **t**eapot and **t**arts?

"I can be a **t**able," said the **t**urtle.
"**T**errific!" said the **t**iger.
Talk, sip, yum!